Pour mes petits-enfants, J. G.
Pour ma mère, N. C.

Titre original : *Cat and Fish*

Direction éditoriale et artistique : Alain Serres

ISBN : 978-2-35504-061-0

Poisson et Chat

Texte de
Joan Grant

Images de
Neil Curtis

Traduction d'Elen Riot

coup de cœur d'ailleurs L'AUSTRALIE

RUE DU MONDE

Une nuit, sur son chemin,
Chat rencontra Poisson.
Ils venaient l'un et l'autre
de mondes bien différents.

Dans le parc, près du lac,
ils firent connaissance.
Poisson parla à Chat de l'eau
et Chat parla à Poisson
de la forêt.

Ils jouèrent dans le pré. Poisson se cachait et Chat le cherchait.

Au beau milieu de la nuit,
ils s'abritèrent de la pluie.

Et, au lever du jour, ils partirent ensemble sans bruit.

Chat montra à Poisson
sa cachette douillette.

Il lui expliqua comment escalader…

… et comment vivre sur la terre
les froides nuits d'hiver.

Mais la mer
manquait à Poisson…
Alors Chat trouva un bateau
pour l'y emmener.

En chemin,
ils se trompèrent de route
et montèrent
au lieu de descendre !

Quand ils arrivèrent à la mer,
Chat n'était pas certain
d'aimer l'océan.

Mais Poisson se mit à jouer
et Chat découvrit aussitôt
qu'il pouvait flotter.

Puis Chat fit la connaissance
des amis de Poisson.

Ils décidèrent alors de vivre
là où la terre et la mer
se rencontrent…

… et de se reposer jusqu'à
leur prochaine aventure.

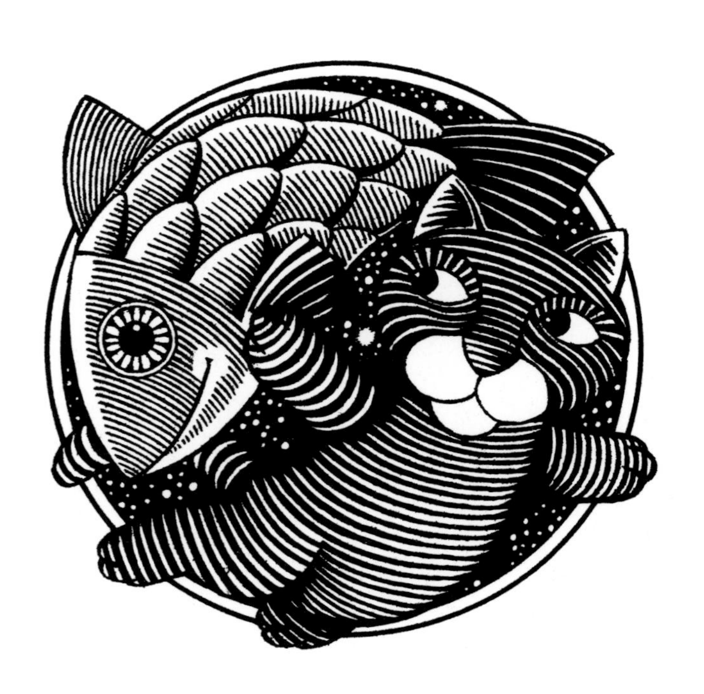